Pour mes enfants, Marina et Étienne.
Merci aussi à tous les gens qui m'ont aidée
dans ma collecte et dans mes recherches.
ALBENA IVANOVITCH-LAIR

Comptines illustrées par :

Aurélie Blanz, pages 14-15, 30-31
Madeleine Brunelet, pages 24-25, 40-41
Ursula Bucher, pages 10-11
Vanessa Gautier, pages 20-21, 32-33
Raphaël Hadid, pages 8-9, 36-37
Maria-Sole Macchia, pages 34-35, 38-39
Caroline Palayer, pages 18-19, 28-29
Sébastien Pelon, pages 12-13, 22-23
Valeria Petrone, pages 16-17, 26-27

© 2004 Père Castor Éditions Flammarion - ISBN : 2-08162537-7
Imprimé par PPO Graphic, 93500 Pantin – 04-2004 – N° d'imprimeur : 7368
Dépôt légal : mai 2004 – N° d'éditeur : 2537
Loi n° 49-956 du 16 juillet 1949 sur les publications destinées à la jeunesse.

Comptines gourmandes

à jouer, mimer, chanter

Collectées et adaptées
par Albena Ivanovitch-Lair

Illustrations :
Aurélie Blanz
Madeleine Brunelet
Ursula Bucher
Vanessa Gautier
Raphaël Hadid
Maria-Sole Macchia
Caroline Palayer
Sébastien Pelon
Valeria Petrone

Père Castor ● Flammarion

Albena Ivanovitch-Lair
est professeur de musique
au Conservatoire de Savigny
le Temple, formatrice des
professionnels de la petite
enfance et conférencière
au Café des Parents à Paris.
Voici un nouveau livre issu
de ses recherches sur les rimes
et jeux de l'enfance du monde
entier, pour le plaisir et l'appétit
des grands et des petits...

Sommaire

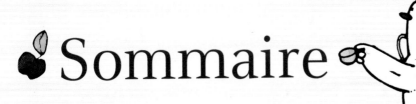

Une poulette en chemise
France

1, 2, 3, là-haut sur le toit
4, 5, 6, une poulette en chemise
7, 8, 9, qui pondait un œuf
10, 11, 12, avec du saindoux
14, 15, 17, pour faire une omelette
Et le 13 et le 16 ?
Ils sont pour Marie-Thérese !

Une poulette en chemise

Inventer avec les enfants
des jeux de rimes
sur les chiffres et les mots.
Créer des comptines
à la manière de « Un, deux, trois,
nous irons aux bois ».

Un festin pour ma colombe
Argentine

Coucouli, coucouli !
Ma petite colombe, viens par ici.
Viens chez moi je t'offrirai un festin,
du pain et de la moutarde, de la bière et du vin.
Moi j'aimerais être tout près de toi
pour te donner un baiser doux comme de la soie.
Coucouli, coucouli !
Ma colombe est repartie.

Trois petits chats
Belgique

1, 2, 3,
trois petits chats,
trois vilains petits fripons,
une nuit,
sans un bruit,
sont entrés dans ma maison,
sont allés dans la cuisine,
ont renversé le pot d'farine.
Ils se sont roulés dedans
et sont repartis tout blancs !

La bouillie de la souris

L'adulte tourne son index
sur la paume de l'enfant.

Puis il plie un à un les doigts
de l'enfant en partant du pouce.
Sur « Et le tout petit ? »,
l'adulte secoue l'auriculaire
de l'enfant.

Sur « reparti », il pianote
sur le bras de l'enfant,
du poignet jusqu'à l'épaule,
puis le chatouille sous l'aisselle.

La bouillie de la souris
Bulgarie

La petite souris fait une bouillie.
Elle tourne, elle tourne…
Elle en donne à qui ?

À celui-ci, car il a trouvé le bois,
À celui-ci, car il a transporté l'eau,
À celui-ci, car il a versé la farine,
À celui-ci, car il a allumé le feu.
Et le tout-petit ?
Il n'a rien eu malheureusement.
Il est reparti,
marchant, pleurant, marchant, pleurant…

11

Dans le panier de l'ourson

Les enfants forment une ronde
et tournent en chantant.
Un enfant-ours se trouve au centre,
les yeux fermés.
Sur « Qu'y a-t-il dans ton
panier ? », l'enfant-ours désigne
un autre enfant de la ronde.
Ce dernier répond « De bonnes
choses pour se régaler »
et l'enfant-ours doit deviner,
au son de la voix, qui lui parle.
Si l'enfant-ours trouve la bonne
réponse, les deux enfants
échangent leur place et le jeu
reprend.

Deux petits bonshommes

Fermer les poings, les doigts
entrelacés.
Sur « deux », lever les pouces.
Sur « pommes », sortir et joindre
les index, sur « noix », les majeurs,
sur « noisettes », les annulaires,
et sur « marrons », les auriculaires.
À la fin, replier tous les doigts
en gardant bien les poings serrés.

Dans le panier de l'ourson
Moldavie

L'ourson dort, l'ourson dort.
Mais, au matin,
il a un petit peu faim.
Que puis-je lui donner à manger ?
Du poisson ou du miel ? Du lait ou du café ?
Tourne en rond, petit ourson,
et choisis une fille ou un garçon.
– Qu'y a-t-il dans ton panier ?
– De bonnes choses pour se régaler.

Deux petits bonshommes
France

Deux petits bonshommes s'en vont au bois
chercher des pommes et puis des noix,
des noisettes et des marrons,
et puis ils rentrent à la maison.

Mon âne, as-tu bien déjeuné ?

Flandres ♩ ♩ ♩

– Mon âne, mon âne, as-tu bien déjeuné ?
– Oh, oui, Madame, j'ai mangé du pâté.
Du pâté d'alouette, Guillaume, Guillaumette.
Chacun s'embrassera et Guillaume restera.

**Mon âne,
as-tu bien déjeuné ?**

Les enfants forment une ronde. Au milieu, un enfant est Guillaume.

À la fin de la comptine, tous cherchent un partenaire à embrasser.
Le nombre des enfants est impair, donc le dernier, qui reste sans partenaire, sera à son tour Guillaume.

**Attention
à Chèvre blanche**

L'adulte coince son majeur avec son pouce et sort les autres doigts pour figurer les pattes de la chèvre.
Il fait « trotter » son index et son annulaire sur la poitrine de l'enfant. Le majeur, qui figure la tête, donne des coups de cornes.
À la fin, la « chèvre », arrivée dans le cou de l'enfant, le chatouille pour le faire rire.

Attention
à Chèvre blanche
Russie

La chèvre aux cornes pointues
tape-tape de ses sabots,
cligne-cligne de ses yeux.

Chèvre blanche a ouvert la porte.
Chèvre blanche est dans la maison.
Chèvre blanche a plissé ses yeux.
Chèvre blanche a baissé ses cornes.

– Tu n'as pas mangé ta soupe ?
Et tu n'as pas bu ton lait ?
Un coup de corne pour la soupe,
un coup de corne pour le lait !

Petit oiseau d'or et d'argent

France ♪ ♪ ♪

Petit oiseau d'or et d'argent
ta mère t'attend au bout du champ
pour y manger du lait caillé
que la souris a barboté
pendant une heure de temps.
Petit oiseau, va-t'en !

**Petit oiseau
d'or et d'argent**

Les enfants forment
une ronde. Ils tournent
en chantant la comptine.

Au centre, un enfant meneur
tourne en sens inverse
et touche successivement
les enfants en face de lui.
L'enfant touché sur
« va-t'en ! » est éliminé.

Le jeu continue et le dernier
enfant à être touché devient
le meneur.

Dors, mon trésor
Corée du Sud

Dja djang, dja djang, oua oua !
Petit chien, ne fais pas de bruit,
mon petit s'est assoupi.
Je te donnerai des friandises.
Croa croa ! crie le corbeau.
Chut, corbeau, ne fais pas de bruit,
mon petit s'est assoupi.
Je te donnerai des miettes dorées.

Dja djang, dja djang, dors mon petit trésor.
N'aie pas peur, le chien veille dehors.
Maman changera tes draps mouillés,
maman te fera un bon dîner.
Dja djang dja, dja djang dja.

Le chien goulu
Chili

Ce petit enfant a acheté un œuf,
celui-ci l'a mis à cuire,
celui-ci a versé le sel,
celui-ci l'a remué.
Et ce vieux chien goulu ?
Il a tout, tout, tout avalé !

Le corbeau voleur
Suède

Le corbeau du pasteur est un voleur.
Un voleur, un brigand,
un brigand et un gourmand.
Il a volé mon déjeuner ce voleur, ce menteur.
Mais je vois les traces de ses pattes sur le beurre.

19

Un tout petit bonhomme

Chanter la comptine en la mimant.

Sur « petit, petit, petit », placer la main à hauteur d'épaule et la baisser jusqu'au genou.
Toucher les différentes parties du corps qui sont nommées : les yeux, la bouche, les oreilles, les jambes.
Puis mimer la « canne », le « beau manteau » et le « joli chapeau ».

Du lait au chocolat

Chanter la chanson en mimant les différents mouvements énoncés.

Une variante, pour les plus grands, consiste à mimer les mouvements tout en lançant une balle contre un mur. Si l'enfant se trompe, il cède sa place à un autre.

Un tout petit bonhomme
France ♩ ♩ ♩

C'est un petit bonhomme, petit, petit, petit !
Sa tête est une pomme, son nez est un radis,
ses yeux sont des groseilles, sa bouche est un bonbon,
et il a pour oreilles deux tranches de melon !
Sa jambe est une banane et l'autre jambe aussi,
et puis il a une canne en sucre de Normandie.
Une feuille de rhubarbe lui fait un beau manteau,
une branche de céleri fait un joli chapeau.
C'est un petit bonhomme petit, petit, petit !

Du lait au chocolat
Belgique

Bobi boba, du lait au chocolat
Une main au front, gâteau au citron
Touche la poitrine, mandarine
Touche le dos, haricots
Genou par terre, pomme de terre
Deux mains très haut, artichauts
Sur la pointe des pieds, cassoulet.

Du lundi au dimanche
Grèce

Petit oranger, chargé de fruits amers…
lundi, je te bêche,
mardi, je t'arrose,
mercredi, jeudi, je taille tes branches,
vendredi, mon panier est plein d'oranges,
samedi, je les épluche et je les coupe,
je les mélange et je les cuis…
Et dimanche ?
Venez les amis à la maison,
venez goûter comme mon gâteau est bon !

Olè, oh banjo !

Chanter et mimer la comptine.

Au refrain, imiter le joueur de
banjo et faire un tour sur place.
Puis imiter les différentes
actions : éplucher une banane,
croquer, manger, boire.
Inventer une suite à la chanson
avec les enfants.

Olé, oh banjo !
France ♪ ♪ ♪

Y'avait dans une cabane un tout petit petit garçon,
il jouait de son banjo olé, olé, oh pom, pom.
Choum ba la, choum ba la, choum ha – ha !
Olé, olé, oh banjo !
Un soir dans sa cabane ce tout petit petit garçon
épluchait sa banane olé, olé, oh pom, pom.
Choum ba la, choum ba la, choum ha – ha !
Olé, olé, oh banjo !
Il croque sa banane, il mange une noix d'coco,
il boit de la tisane, olé, olé, oh banjo.

Le ventre du gourmand
Australie

Cinq saucisses que j'avais,
cinq saucisses pour mon déjeuner.
Dans la poêle, elles dansaient.
Bim, Bom, Bam !
Une dans le ventre du gourmand !

Quatre saucisses que j'avais,
quatre saucisses pour mon déjeuner.
Dans la poêle, elles dansaient.
Bim, Bom, Bam !
Une deuxième dans le ventre du gourmand !

Le ventre du gourmand

Montrer sa main ouverte.
Sur « dansaient », remuer
les cinq doigts de la main.
Sur « Bim, Bom, Bam », taper
dans ses mains.
Sur « Une dans le ventre du
gourmand », replier son pouce.
Continuer avec quatre doigts,
puis trois, puis deux.

Le chat fripon
Afrique du Sud

Kiri kiri karon
Le chat fripon mange du melon.
La vache saute par-dessus la lune.
Le chien rit aux éclats de voir cela.

L'assiette et la cuillère valsent dans l'air.
Tralala et tralalaire.

La soupe de ma grand-mère
Suisse ♩ ♩ ♩

Ma grand-mère est enfermée
dans une boîte de chicorée.
Quand la boîte s'ouvrira,
ma grand-mère en sortira.

Combien faut-il de pommes de terre
Pour faire la soupe de ma grand-mère ?

**La soupe
de ma grand-mère**

Un enfant saute à la corde
pendant que les autres
chantent la comptine.

À la fin, l'enfant qui saute
choisit un nombre
de pommes de terre.
Si le nombre choisi est 10,
par exemple, l'enfant doit
sauter dix fois sans s'arrêter.
S'il n'y arrive pas, il cède
sa place à un autre enfant.

**L'omelette
de ma tante Michel**

Les enfants se tiennent
deux par deux par les mains,
les bras croisés, et marchent.

Sur « Mistoufla »,
ils changent de direction.

26

L'omelette de ma tante Michel
France

Un I, un L – ma tante Michel.
Des raves, des choux,
des raisins doux.
Dans mon jardin,
il y a du romarin,
des violettes,
des herbettes pour l'omelette.
Mais l'omelette n'est pas pour toi.
Mistouflette, Mistoufla.

27

Pilons les grains
Togo

Pilons pon pon, pilons pon pon,
pilons les grains pon pon.
Pilons pon pon, pilons pon pon,
pilons les grains gaiement.
Savez-vous comment ?
En haut, en bas,
en haut, en bas.
Pilons pon pon comme ça.

Pilons les grains

Taper son poing gauche sur son poing droit, puis inversement. Sur « en haut, en bas », joindre ses mains et, poings fermés, faire un mouvement de haut en bas.

Le fruit à pain

Imiter les actions décrites dans la comptine.
Le fruit à pain est le fruit à chair blanche d'un arbre de l'Asie tropicale et de l'Océanie.

Le fruit à pain
Tahiti

Comme il est beau ce fruit à pain,
et comme il me donne faim !
Mais avant de se régaler,
il faut le ramasser, il faut le peler,
enlever le noyau et le tapoter.
Enfin le voici prêt à être mangé !

29

Migue, migue meu
France

Migue, migue, migue meu,
la sorcière au coin du feu,
elle n'a rien pour son dîner,
qu'un petit crapaud grillé.
Grissaussisse, grissaussisson,
attrapons !

Migue, migue meu

Les enfants se placent derrière
une table, une main posée
dessus. Le meneur, face à eux,
récite la comptine.

Sur « attrapons », le meneur
essaie d'attraper l'une de ces
mains. Les enfants doivent donc
les retirer le plus rapidement
possible, sinon ils sont éliminés.

Madame la cigogne
Hongrie

– Madame la cigogne aux pattes effilées,
que désirez-vous pour votre déjeuner ?
– Des cuisses de grenouilles bien assaisonnées.
– C'est une bonne idée. En voici une pleine brassée.
Mais il vous faut d'abord les attraper !

Avec les enfants, imiter
successivement
le cri de chaque animal.
Réciter la comptine en
essayant de trouver une voix
différente pour chaque
personnage.

**Les miettes
de la boulette**

Tenir la main de l'enfant.
Sur « boulette », replier ses
doigts. Puis les déplier un à un.
Sur « deomitakam »,
chatouiller la paume
de l'enfant.

Le festin des animaux
Autriche

Un festin, ce serait drôle, chante le rossignol.
Oh oui ! cacabe la perdrix.
Qu'avez-vous à manger ? criaille l'épervier.
Du pain et du lard, glapit le renard.
Et à boire ? caquettent les canards.
De l'eau, meuglent les veaux.
Je préfère du vin ! aboie le chien.
Et comment va-t-on danser ? grommelle le sanglier.
Au son des violons ! grogne le cochon.

Les miettes de la boulette
Mauritanie

Dans ta main, j'ai mis une boulette.
Mais le corbeau l'a volée.
Puis le chien a mangé les restes.
À la fin, le chat a léché les miettes.
Miam, miam, deomitakam, deomitakam.

**Trois pommes
dans un panier**

Les enfants sont en ligne.
Ils chantent en marchant
sur place.
Sur « rouli roula », ils font un
moulin avec leurs bras, une fois
devant, une fois derrière.
Sur « stop »,
ils s'immobilisent,
puis font les pas demandés.

**Une bise pour une
pomme**

Comptine à mimer :
- lever les mains ;
- secouer une main puis l'autre ;
- secouer tout son corps ;
- baisser ses mains en bougeant
les doigts ;
- compter sur une main ;
- compter sur l'autre main.

Trois pommes dans un panier
France ♪ ♪ ♩

Il était une fermière qui allait au marché.
Elle portait sur sa tête trois pommes dans un panier.
Les pommes faisaient rouli roula.
Les pommes faisaient…
Stop !
Trois pas en avant, trois pas en arrière,
trois pas de ce côté, trois pas de l'autre côté.

Une bise pour une pomme
Irlande

Dix pommes rouges dans un pommier,
cinq pour toi et cinq pour moi.
Aide-moi à le secouer !
Et voilà toutes les pommes tombées…
Un, deux, trois, quatre, cinq,
six, sept, huit, neuf, dix.
Pour en avoir une, donne-moi une bise.

23, allée des Gâteaux Sucrés
Italie

Une poulette qui picorait du maïs et du blé,
cocodi, cocodé, fatiguée, s'en est allée.
– Chez qui ?
– Donna Carmelé.
– Où ça ?
– Au 23, allée des Gâteaux Sucrés.
La maison est en bonbons, l'escalier en macarons.
La patronne est en nougat, la servante en chocolat.
– Cocodi, cocoda, cette maison est faite pour moi !

La chanson de la théière

USA ♪♪♩

Je suis une théière toute charmante.
Voici mon bec, voici mon anse,
et quand on me prend, alors je chante :
« Tiens-moi bien haut et verse le thé chaud ! »

La ronde des patates
Espagne

À la ronde des patates,
grignotons des salades.
Les messieurs mangent des oranges,
les garçons des bonbons étranges.
À toupé, vous tournez,
à toupi, on s'accroupit.
Puis on se lève, et encore on se baisse.
À la fin, tombons sur nos fesses.

Le cornichon et la myrtille
Roumanie ♪♪♪

Saute, saute, petit garçon,
tu es beau comme un cornichon.
Notre ronde est ainsi faite
d'un garçon et d'une fillette.
Saute, saute, petite fille,
tu es belle comme une myrtille.
Notre ronde est ainsi faite
d'un garçon et d'une fillette.

Une tape pour le gourmand !
Japon

– Tanuki, Tanuki, viens jouer avec nous.
– Non merci, je prends mon déjeuner.
– Qu'est-ce que tu manges ?
– Une prune séchée.
– Donne-moi un morceau.
– Ah quel gourmand, ô quel culot !
Voilà pour toi une tape dans le dos !

**Une tape
pour le gourmand**

L'enfant-Tanuki dialogue avec
les autres enfants qui sont
en face de lui.
À la fin de la comptine, tous
doivent courir le plus vite
possible pour échapper
à Tanuki.

Si Tanuki réussit à donner une
tape dans le dos d'un enfant,
il échange sa place avec lui.

Gus le goulu
Hollande

As-tu connu Gus le goulu ?
Il a mangé une vache et son bébé,
puis il a dit : « Ce n'est pas assez ! »
Il a mangé un poulain bien gras,
puis il a dit : « Cela ne suffit pas !
Un bœuf et un taureau
ne seront pas de trop.
Ajoutons :
Un wagon de moutons,
sept tonneaux de vin. »
Et le voilà qui dit : « J'ai toujours faim ! »

Portées musicales

Deux petits bonshommes (page 13)

Deux p'tits bons-hommes s'en vont au bois   cher-cher des pommes et puis des noix,

des noi-set-tes   et des   mar-rons,   et puis   ils rentrent à la   mai-son.

Mon âne, as-tu bien déjeuné ? (page 14)

Mon âne, mon âne, as- tu bien dé-jeu-né ? Oh oui Ma-dame, j'ai man-gé du pâ- té. Du

pâ-té d'a- lou-et- te, Guil-laume, Guil-lau-met- te. Cha-cun s'em-bras-s'ra et Guil-laume res-te-ra.

Petit oiseau d'or et d'argent (page 16)

Pe- tit oi- seau d'or et d'ar-gent ta mère t'at-tend au bout du

champ pour y man- ger du lait cail- lé que la sou- ris a bar- bo-

té pen-dant une heure de temps. Pe- tit oi-seau va- t'en !

Un tout petit bonhomme (page 20)

C'est   un   pe- tit   bon-homme,   pe-   tit,   pe- tit,   pe- tit !

Olé, Oh banjo ! (page 23)

Y'a-vait dans une ca-bane un tout pe-tit pe-tit gar-çon, il jouait de son ban-jo olé, olé, oh pom, pom.

Choum ba la, choum ba la, choum ha – ha ! (ter)   O-lé, o-lé, oh ban-jo !

La soupe de ma grand-mère (page 26)

Ma grand-mère est en-fer-mée dans une boîte de chi-co-rée. Quand la boîte s'ou-vri-ra, ma grand-mère en sor-ti-ra.

Pilons les grains (page 28)

Pi- lons pon pon, pi-lons pon pon, pi-lons les grains pon pon. Pi-

lons pon pon, pi-lons pon pon, pi-lons les grains gaie- ment.

Sa-vez-vous com-ment ? En haut, en bas, en haut, en bas. Pi-lons pon pon comme ça.

Trois pommes dans un panier (page 34)

Il é- tait une fer-mière qui al-lait au mar-ché. Elle

por-tait sur sa tête trois pom' dans un pa-nier.

Les pom' fai-saient rou-li rou-la. Les pom' fai-saient. Stop ! Trois pas en a-vant trois

pas en ar- ri- è- re, trois pas d'ce cô- té, trois pas de l'autre cô-té.

La chanson de la théière (page 37)

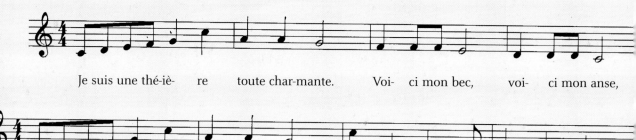

Je suis une thé-iè- re toute char-mante. Voi- ci mon bec, voi- ci mon anse,

et quand on me prend, a- lors je chante : « Tiens-moi bien haut et verse le thé chaud ! »

Le cornichon et la myrtille (page 39)

Sau-te, sau-te, pe-tit gar-çon, tu es beau comme un cor-ni-chon. No-tre ron-de est ain-si faite d'un gar-çon et d'une fil-lette.

Sau-te, sau-te, pe-ti-te fille, tu es belle comme une myr-tille. No-tre ronde est ain-si-i faite d'un gar-çon et d'une fil-lette.